• PETITS CHEFS •

BISCUITS FARFELUS

Elizabeth MacLeod
Illustrations de June Bradford

Texte français d'Isabelle Allard

Éditions
SCHOLASTIC

Pour mes merveilleux oncles, avec tout mon amour :
oncle Blair, oncle Jack, oncle Jim, et à la mémoire d'oncle Bud,
oncle Edgar, oncle Gerry et oncle John

Catalogage avant publication de la
Bibliothèque nationale du Canada

MacLeod, Elizabeth
Biscuits farfelus / Elizabeth MacLeod ; illustrations de
June Bradford ; texte français d'Isabelle Allard.

(Artisanat-Petits chefs)
Traduction de: Bake and make amazing cookies.
Pour les 7-11 ans.
ISBN 0-439-96692-2

1. Biscuits--Ouvrages pour la jeunesse. I. Bradford, June
II. Allard, Isabelle III. Titre. III. Collection.

TX772.M34514 2004   j641.8'654   C2004-901371-8

Conception graphique : Karen Powers

Édition publiée par les Éditions Scholastic, 175 Hillmount Road,
Markham (Ontario) L6C 1Z7, avec la permission de Kids Can Press Ltd.

5 4 3 2 1   Imprimé en Chine   04 05 06 07

Table des matières

Introduction

Miam! Qu'y a-t-il de meilleur que de bons biscuits maison? Ces délicieuses gâteries, faciles à préparer, font de chaque jour une fête. Alors, pourquoi ne pas célébrer le jour de la marmotte avec des biscuits craquelés? Ou surprendre ton enseignant en lui offrant des marguerites en folie?

Ce livre te propose une foule d'idées pour souligner les jours de fête, faire plaisir à des amis, célébrer les saisons ou simplement t'amuser en préparant des biscuits. Il contient même des suggestions pour rendre tes petites douceurs encore plus attrayantes. Et, si tu veux offrir tes biscuits en cadeau, tu y trouveras aussi des conseils d'emballage et de présentation. Eh bien, qu'attends-tu pour te transformer en chef pâtissier?

ABRÉVIATIONS UTILISÉES

l = litre   °C = degrés Celsius
ml = millilitre   cm = centimètre
g = gramme

POUR MESURER LES INGRÉDIENTS

Les ingrédients secs et les liquides doivent être mesurés dans des tasses graduées distinctes. Pour les liquides, on doit se servir d'une tasse graduée munie d'un bec.

Une tasse graduée pour aliments secs est pourvue d'un rebord plat permettant d'égaliser les ingrédients avec un couteau, pour obtenir une mesure précise.

Si tu offres des biscuits à quelqu'un, assure-toi qu'il n'est pas allergique à l'un des ingrédients, tels les produits laitiers ou les noix. N'oublie pas de nettoyer soigneusement les ustensiles et les surfaces de travail après chaque recette.

POUR DÉCOUPER LA PÂTE

Étends un grand morceau de papier ciré sur une table ou un comptoir (fais tenir le papier en place en appliquant une goutte d'eau sous chaque coin). Saupoudre un peu de farine sur le papier ciré et le rouleau à pâtisserie.

Place la pâte à biscuits sur le papier et étends-la à l'aide du rouleau jusqu'à ce qu'elle ait l'épaisseur ou les dimensions indiquées dans la recette. Découpe les biscuits avec des emporte-pièces que tu auras d'abord plongés dans la farine. Sers-toi d'une spatule pour déposer tes biscuits sur une plaque à pâtisserie. Forme une boule avec les restes de pâte, étends-la au rouleau et recommence jusqu'à ce que tu aies utilisé toute la pâte.

POUR FAIRE CUIRE

Tu pourras faire tes biscuits plus rapidement et plus facilement si tu te sers de plusieurs plaques à pâtisserie. C'est une bonne idée de couvrir les plaques et les moules de papier d'aluminium. Fais cuire les biscuits, une plaque à la fois, au centre du four. Comme le temps de cuisson peut varier d'un four à l'autre, vérifie si tes biscuits sont prêts lorsque le temps de cuisson minimal suggéré s'est écoulé. La plupart des biscuits sont prêts lorsqu'ils sont légèrement dorés et fermes au toucher. Les carrés sont prêts lorsqu'ils sont fermes au centre et que leurs côtés se détachent des parois du moule.

POUR CONSERVER LES BISCUITS

Laisse tes biscuits refroidir, puis dépose-les dans un contenant hermétique. Place du papier ciré entre chaque couche. Tu pourras conserver tes biscuits à la température de la pièce pendant une semaine et au congélateur pendant deux mois, à moins d'indication contraire dans la recette.

POUR FAIRE FONDRE LE CHOCOLAT ET LE BEURRE

Comme le chocolat peut facilement brûler, demande à un adulte de t'aider à le faire fondre au micro-ondes ou au bain-marie. Réchauffe lentement le chocolat, juste assez pour le faire fondre, en remuant souvent. Si tu te sers du micro-ondes, remue le chocolat au moins toutes les 30 secondes. Si tu utilises un bain-marie, réchauffe le chocolat à feu doux. Tu peux faire fondre des grains, des plaquettes ou des tablettes de chocolat (brise-les en morceaux pour qu'elles fondent plus rapidement). Tu dois faire fondre le beurre de la même façon que le chocolat. Réchauffe-le lentement et demande l'aide d'un adulte.

> Sers-toi de gants de cuisine isolants pour manipuler les casseroles, les plaques à pâtisserie et les moules à gâteaux. Demande à un adulte de t'aider à mettre les plats au four et à les retirer.

Sablés glacés du 1er janvier

*Souhaite une bonne année à tes amis
avec ces savoureux biscuits à la menthe.*

INGRÉDIENTS

500 ml de beurre
(à la température de la pièce)
250 ml de cassonade (légèrement tassée)
de l'essence de menthe
1 l de farine tout usage
125 ml de cannes en sucre broyées

un grand bol à mélanger, une cuillère
de bois, du papier ciré, un rouleau à pâtisserie,
des emporte-pièces, une spatule, une plaque
à pâtisserie recouverte de papier d'aluminium,
une grille à pâtisserie

1 Préchauffe le four à 155 °C.

2 Bats ensemble le beurre et la cassonade jusqu'à consistance crémeuse. Ajoute 12 gouttes d'essence de menthe en remuant. Incorpore la farine et mélange bien.

3 En suivant les instructions de la page 5, étends une partie de la pâte au rouleau, jusqu'à ce qu'elle ait 0,5 cm d'épaisseur. Découpe les biscuits avec les emporte-pièces. À l'aide de la spatule, dépose les biscuits sur la plaque à pâtisserie, en laissant environ 2,5 cm entre chacun. Recommence avec la pâte qui reste. Saupoudre un peu de cannes broyées sur chaque biscuit.

4 Fais cuire de 12 à 15 minutes, jusqu'à ce que les biscuits soient à peine fermes et de couleur pâle. Laisse-les refroidir 5 minutes, puis place-les sur la grille pour qu'ils refroidissent complètement.

Donne environ 5 douzaines de biscuits

AUTRE SUGGESTION

★ Au lieu d'essence de menthe et de cannes en sucre, ajoute 175 ml de brisures de chocolat, de pacanes ou de noix hachées, ou encore de canneberges séchées.

Biscuits craquelés du jour de la marmotte

Quand la marmotte se pointe le nez dehors le 2 février, souligne l'occasion avec ces biscuits chocolatés.

INGRÉDIENTS

250 ml de sucre blanc

175 ml de beurre (à la température de la pièce)

2 œufs

500 ml de farine tout usage

125 ml de poudre de cacao non sucrée

5 ml de poudre à pâte

5 ml de bicarbonate de soude

125 ml de sucre à glacer

un grand bol à mélanger, une cuillère de bois, un tamis, une petite assiette, une plaque à pâtisserie recouverte de papier d'aluminium, une spatule, une grille à pâtisserie

1 Préchauffe le four à 180 °C.

2 Bats ensemble le sucre blanc et le beurre, jusqu'à consistance crémeuse. Ajoute les œufs en mélangeant. Tamise la farine, le cacao, le bicarbonate de soude et la poudre à pâte sur le mélange. Remue bien.

3 Forme des boules de 2,5 cm de diamètre avec la pâte. Mets le sucre à glacer dans l'assiette, puis roules-y les boules. Dépose-les sur la plaque à pâtisserie en laissant environ 4 cm entre chacune.

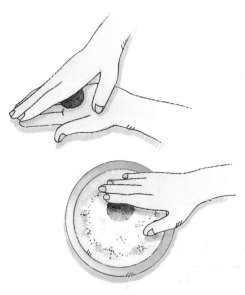

4 Fais cuire de 8 à 10 minutes, jusqu'à ce que le sucre soit craquelé. Laisse refroidir les biscuits 5 minutes, puis dépose-les sur la grille pour qu'ils refroidissent complètement.

Donne environ 5 douzaines de biscuits

AUTRE SUGGESTION

★ Fais des biscuits super chocolatés en ajoutant 250 ml de brisures de chocolat.

Biscuits sucrés de la Saint-Valentin

Une jolie façon de dire « Je t'aime. »

INGRÉDIENTS

250 ml de sucre blanc

125 ml de shortening
(à la température de la pièce)

1 œuf

5 ml d'extrait de vanille

425 ml de farine tout usage

5 ml de poudre à pâte

1 ml de sel

500 ml de sucre à glacer

50 ml de beurre (à la température de la pièce)

45 ml de lait

2 ml d'extrait de vanille

du colorant alimentaire rouge

des bonbons pour décorer

un grand bol à mélanger, une cuillère de bois,
du papier ciré, un rouleau à pâtisserie,
un emporte-pièce en forme de cœur, une spatule,
une plaque à pâtisserie recouverte de papier
d'aluminium, une grille à pâtisserie,
un bol à mélanger de taille moyenne

1 Préchauffe le four à 180 °C.

2 Dans le grand bol, bats ensemble le sucre et le shortening, jusqu'à consistance crémeuse. Incorpore l'œuf et 5 ml de vanille. Ajoute la farine, la poudre à pâte et le sel. Remue bien.

3 En suivant les instructions de la page 5, étends une partie de la pâte au rouleau, jusqu'à ce qu'elle ait 0,5 cm d'épaisseur. Découpe les biscuits avec l'emporte-pièce. À l'aide de la spatule, dépose les biscuits sur la plaque à pâtisserie, en laissant environ 4 cm entre chacun. Recommence avec la pâte qui reste.

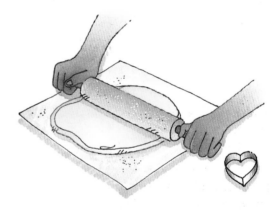

4 Fais cuire de 10 à 12 minutes, jusqu'à ce que les biscuits soient dorés. Laisse-les refroidir 2 minutes, puis dépose-les sur la grille pour qu'ils refroidissent complètement.

5 Prépare le glaçage en battant ensemble, dans l'autre bol, le sucre à glacer, le beurre, le lait et 2 ml de vanille, jusqu'à consistance crémeuse. Incorpore 6 gouttes de colorant alimentaire pour donner une couleur rosée. Étends le glaçage sur les biscuits refroidis et décore-les avec des bonbons.

Donne environ 2 douzaines de biscuits

AUTRES SUGGESTIONS

★ Colore la moitié de la pâte en y ajoutant du colorant alimentaire. Étends la pâte non colorée et découpes-y des biscuits, à l'aide d'un emporte-pièce en forme de cœur. Sers-toi d'un emporte-pièce en forme de cœur plus petit pour découper le centre des biscuits. Fais la même chose avec la pâte colorée, puis insère les petits cœurs roses dans les biscuits non colorés, et les petits cœurs non colorés dans les biscuits roses.

★ Étends la pâte jusqu'à ce qu'elle ait 0,3 cm d'épaisseur et découpes-y des biscuits. Fais cuire les biscuits environ 8 minutes, jusqu'à ce qu'ils soient de couleur dorée. Une fois qu'ils sont refroidis, fabrique des biscuits fourrés en étendant de la confiture de fraises entre deux biscuits.

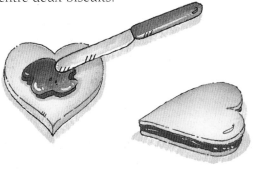

★ Fais des biscuits au chocolat en remplaçant 50 ml de farine par 50 ml de poudre de cacao non sucrée et tamisée.

EMBALLAGE

★ Découpe un grand cœur de papier et écris un message au centre.

Enveloppe un biscuit dans du papier ciré ou de la pellicule plastique, et dépose-le sur le message.

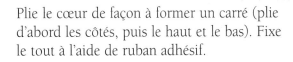

Plie le cœur de façon à former un carré (plie d'abord les côtés, puis le haut et le bas). Fixe le tout à l'aide de ruban adhésif.

Écris le nom du destinataire de l'autre côté et, si tu le désires, décore le papier.

Carrés de la Saint-Patrick

Menthe et chocolat, une combinaison extra!

INGRÉDIENTS

125 ml de beurre

50 ml de sucre blanc

1 œuf (battu)

75 ml de poudre de cacao non sucrée

500 ml de biscuits Graham émiettés

250 ml de noix de coco séchée

125 ml de noix hachées

50 ml de beurre (à la température de la pièce)

500 ml de sucre à glacer

15 ml de lait

du colorant alimentaire vert

de l'essence de menthe

4 carrés de chocolat semi-sucré

15 ml de beurre

une casserole de taille moyenne, un tamis,
une cuillère de bois, un moule à gâteau carré
de 20 cm de côté recouvert de papier
d'aluminium, un bol à mélanger de taille
moyenne, un couteau de table,
un petit bol à mélanger

1 Prépare d'abord la couche inférieure en mettant 125 ml de beurre, le sucre blanc et l'œuf dans la casserole. Tamise le cacao sur le mélange. Avec l'aide d'un adulte, réchauffe le mélange à feu moyen en remuant, jusqu'à ce qu'il épaississe légèrement (environ 1 minute).

2 Retire la casserole du feu et incorpore les miettes de biscuits, la noix de coco et les noix. Étends le mélange dans le moule en tapotant pour l'égaliser. Mets le tout au réfrigérateur pendant au moins 1 heure.

3 Pour la garniture, travaille 50 ml de beurre en crème dans le bol de taille moyenne, puis ajoute le sucre à glacer, le lait, 4 gouttes de colorant et 8 gouttes d'essence de menthe. Mélange bien.

4 Étale la garniture sur la couche inférieure et mets au réfrigérateur pendant 30 minutes, jusqu'à consistance ferme.

5 Avec l'aide d'un adulte, fais fondre le chocolat et le beurre (voir page 5), et mélange-les dans le petit bol. Étends soigneusement ce glaçage sur la garniture. Mets au réfrigérateur pendant 5 minutes, puis découpe en carrés.

Se conservent au réfrigérateur pendant deux semaines.

Donne environ 2 douzaines de carrés

Nids de Pâques

Tu seras plus populaire que le lapin de Pâques avec ces petits nids remplis de friandises!

INGRÉDIENTS

750 ml de nouillettes frites (pour chow mein)
brisées en deux

250 ml de noix de coco sucrée
(râpée ou en flocons)

50 ml de beurre

750 ml de guimauves miniatures

5 ml d'extrait de vanille

du beurre

125 ml de petits bonbons à la gelée

un grand bol à mélanger, une casserole de taille
moyenne, une cuillère de bois, une plaque à
pâtisserie recouverte de papier ciré

1   Mets les nouillettes et la noix de coco dans le bol.

2   Avec l'aide d'un adulte, fais fondre 50 ml de beurre dans la casserole, à feu moyen, en remuant sans arrêt. Ajoute les guimauves et mélange jusqu'à consistance lisse. Retire la casserole du feu et incorpore la vanille. Verse le mélange sur les nouillettes et la noix de coco, en remuant jusqu'à ce qu'elles soient bien enrobées.

3   Applique un peu de beurre sur tes doigts, puis dépose de petits paquets de mélange sur la plaque à pâtisserie. Imprime un creux au centre de chacun avec l'index ou le pouce. Remplis sans attendre avec des bonbons à la gelée.

Se conservent au réfrigérateur pendant deux semaines.

Donne environ 3 douzaines de nids

EMBALLAGE

★ Colle de larges lanières de feutre ou de papier autour d'une grosse boîte (à café, par exemple). Recouvre les endroits où les lanières se touchent avec du ruban ou un galon décoratif.

Chats de l'Halloween

Miaou, que c'est bon!

INGRÉDIENTS

250 ml de cassonade (légèrement tassée)

75 ml de beurre (à la température de la pièce)

75 ml de shortening
(à la température de la pièce)

1 œuf

45 ml de jus d'orange

10 ml d'extrait de vanille

500 ml de farine tout usage

175 ml de poudre de cacao non sucrée

5 ml de poudre à pâte

25 ml de sucre blanc

125 ml de friandises M & M

25 ml de petits bonbons rouges

un grand bol à mélanger, une cuillère de bois,
un tamis, une plaque à pâtisserie recouverte
de papier d'aluminium, une petite assiette,
un verre à fond plat, une fourchette,
une spatule, une grille à pâtisserie

1 Préchauffe le four à 180 °C.

2 Bats ensemble la cassonade, le beurre et le shortening, jusqu'à consistance crémeuse. Incorpore l'œuf, le jus d'orange et la vanille. Tamise la farine, le cacao et la poudre à pâte sur le mélange. Remue bien.

3 Forme des boules de 3 cm de diamètre avec la pâte, puis dépose-les sur la plaque à pâtisserie en laissant environ 4 cm entre chacune. Mets le sucre blanc dans l'assiette. Plonges-y la base du verre, puis utilise-la pour aplatir les boules. Pince la pâte pour former deux oreilles, puis ajoute des M & M pour les yeux et un bonbon rouge pour le nez. Pour les moustaches, appuie de chaque côté avec la fourchette.

4 Fais cuire de 10 à 12 minutes, jusqu'à ce que les biscuits soient fermes. Laisse-les refroidir 3 minutes, puis dépose-les sur la grille pour qu'ils refroidissent complètement.

Donne environ 2 douzaines et demie de biscuits

AUTRE SUGGESTION

★ Ne décore pas les biscuits avant de les faire cuire. Une fois qu'ils sont refroidis, étale du glaçage sur chacun, puis ajoute des bonbons pour les yeux et le nez, des bouts de réglisse pour les moustaches et des bonbons en forme de cônes pour les oreilles.

Ermites de l'Action de grâce

Une recette presque aussi ancienne que la fête de l'Action de grâce

INGRÉDIENTS

250 ml de cassonade
(légèrement tassée)

125 ml de beurre
(à la température de la pièce)

2 œufs

45 ml de jus d'orange

5 ml d'extrait de vanille

500 ml de farine tout usage

5 ml de bicarbonate de soude

5 ml de cannelle moulue

2 ml de piment de la Jamaïque moulu

2 ml de muscade moulue

1 ml de sel

250 ml de raisins secs

175 ml de noix hachées

un grand bol à mélanger, une cuillère de bois, une cuillère à thé, une plaque à pâtisserie recouverte de papier d'aluminium, une spatule, une grille à pâtisserie

1 Préchauffe le four à 180 °C.

2 Bats ensemble la cassonade et le beurre jusqu'à consistance crémeuse. Incorpore les œufs, le jus d'orange et la vanille. Ajoute la farine, le bicarbonate de soude, les épices et le sel. Mélange bien. Ajoute les raisins secs et les noix.

3 Dépose des cuillerées de pâte sur la plaque à pâtisserie en laissant environ 4 cm entre chacune.

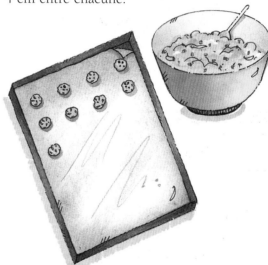

4 Fais cuire de 10 à 12 minutes, jusqu'à ce que les biscuits soient dorés. Laisse-les refroidir 3 minutes, puis dépose-les sur la grille pour qu'ils refroidissent complètement.

Donne environ 3 douzaines et demie de biscuits

AUTRE SUGGESTION

★ Remplace les raisins secs et les noix par 375 ml de brisures de chocolat ou de jujubes, ou encore par 425 ml d'un mélange de noix et de fruits séchés.

Rennes en pain d'épice

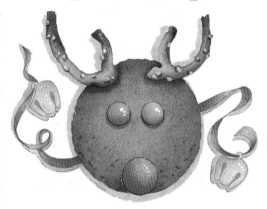

*Célèbre Noël en dégustant
ces petits rennes au nez rouge!*

INGRÉDIENTS

75 ml de shortening
(à la température de la pièce)
75 ml de cassonade (légèrement tassée)
1 œuf
150 ml de mélasse
675 ml de farine tout usage
5 ml de poudre à pâte
5 ml de gingembre moulu
2 ml de cannelle moulue
des bretzels miniatures, brisés en deux
des bonbons pour décorer
un grand bol à mélanger, une cuillère de bois,
du papier ciré, un rouleau à pâtisserie, un
emporte-pièce rond (ou encore un verre ou
un couvercle de bocal), une spatule, une plaque
à pâtisserie recouverte de papier d'aluminium,
une grille à pâtisserie

1 Préchauffe le four à 190 °C.

2 Bats ensemble le shortening et
la cassonade, jusqu'à consistance
mousseuse. Incorpore l'œuf et la mélasse.
Ajoute la farine, la poudre à pâte, le
gingembre et la cannelle. Mélange bien.

3 En suivant les instructions de la page 5,
étends une partie de la pâte au rouleau,
jusqu'à ce qu'elle ait 0,5 cm d'épaisseur.
Découpe des biscuits avec l'emporte-pièce. À
l'aide de la spatule, dépose les biscuits sur la
plaque à pâtisserie, en laissant environ 5 cm
entre chacun. Recommence avec la pâte qui
reste. Ajoute des morceaux de bretzels en
guise de bois, et des bonbons pour les yeux
et le nez.

4 Fais cuire de 10 à 12 minutes, jusqu'à
ce que les biscuits soient fermes. Laisse-
les refroidir 3 minutes, puis dépose-les sur la
grille pour qu'ils refroidissent complètement.

Donne environ 3 douzaines de biscuits

AUTRES SUGGESTIONS

★ Fais des biscuits-vitraux. Étends de la pâte jusqu'à ce qu'elle ait 0,5 cm d'épaisseur, puis découpe des biscuits avec un emporte-pièce. Découpe ensuite le centre de chacun, à l'aide d'un emporte-pièce plus petit ou d'un couteau. Dépose les biscuits sur la plaque, puis remplis chaque ouverture avec des bonbons Life Savers broyés de diverses couleurs. Sers-toi d'une paille pour percer un trou dans le haut de chaque biscuit. Fais cuire les biscuits, puis laisse-les refroidir. Passe ensuite un ruban dans chaque trou et suspends les biscuits en guise de décorations.

★ Fabrique un casse-tête. Étends de la pâte jusqu'à ce qu'elle ait 0,5 cm d'épaisseur, puis découpe un rectangle de la dimension de ton choix. Fais-le cuire environ 12 minutes (le temps varie selon la dimension du rectangle). Aussitôt que tu retires le biscuit du four, demande à un adulte de t'aider à le découper en pièces de casse-tête. Une fois que les morceaux sont refroidis complètement, glace-les et décore-les.

★ Tu peux utiliser cette recette de pâte pour fabriquer une maison en pain d'épice. Pétris d'abord la pâte pour qu'elle soit plus solide.

★ Tu peux faire du pain d'épice au chocolat en remplaçant 125 ml de farine par de la poudre de cacao non sucrée et tamisée, et en ajoutant 250 ml de brisures de chocolat.

EMBALLAGE

★ Fabrique un sac-cadeau du temps des fêtes. Dispose des rubans à l'horizontale sur un sac de tissu ou de papier, en plaçant le plus court en haut et le plus long en bas, de façon à former un arbre de Noël. Applique un peu de colle sous chaque extrémité des rubans. Coupe un bout de ruban un peu plus long que la hauteur du sapin. Colle-le au centre des autres rubans.

Carrés au caramel écossais

Offre ces gâteries à tes grands-parents, à l'occasion du Jour des grands-parents (le dimanche qui suit la fête du Travail).

INGRÉDIENTS

1 œuf

250 ml de cassonade
(légèrement tassée)

50 ml de beurre fondu (voir page 5)

10 ml d'extrait de vanille

175 ml de farine tout usage

5 ml de poudre à pâte

1 ml de sel

75 ml de noix hachées

75 ml de noix de coco séchée sucrée
(râpée ou en flocons)

un grand bol à mélanger, une cuillère de bois,
un moule à gâteau de 20 cm de côté
recouvert de papier d'aluminium,
une grille à pâtisserie.

1 Préchauffe le four à 180 °C.

2 Bats ensemble l'œuf, la cassonade, le beurre et la vanille, jusqu'à consistance lisse. Incorpore la farine, la poudre à pâte et le sel. Ajoute les noix et la noix de coco.

3 Étends le mélange dans le moule, en l'égalisant bien. Fais cuire de 20 à 25 minutes, jusqu'à l'obtention d'une couleur légèrement dorée. Dépose le moule sur la grille et laisse refroidir complètement.

Donne environ 2 douzaines de carrés

AUTRE SUGGESTION

★ Remplace la noix de coco par des brisures de chocolat ou des canneberges séchées.

EMBALLAGE

★ Découpe une forme dans du feutre, comme un cœur ou toute autre forme qui plaira à tes grands-parents. Décore-la, puis colle-la sur du carton de taille et de forme identiques. Colle le carton à une pince à linge et laisse sécher. Sers-toi de cette pince décorée pour fermer le sac qui contient tes carrés.

Biscuit pizza

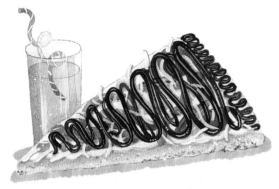

*Une surprise originale
pour l'anniversaire d'un ami*

INGRÉDIENTS

125 ml de beurre
(à la température de la pièce)
125 ml de cassonade (légèrement tassée)
50 ml de sucre blanc
1 œuf
300 ml de farine tout usage
2 ml de bicarbonate de soude
375 ml de sucre à glacer
50 ml de beurre (à la température de la pièce)
25 ml de lait
2 ml d'extrait de vanille
125 ml de moitiés de pacanes
des bonbons pour décorer
50 ml de noix de coco séchée sucrée
(râpée ou en flocons)
50 ml de brisures de chocolat
un grand bol à mélanger, une cuillère de bois,
une grande plaque à pâtisserie recouverte
de papier d'aluminium, une grille à pâtisserie,
un bol à mélanger de taille moyenne,
une cuillère à thé

1 Préchauffe le four à 180 °C.

2 Dans le grand bol, bats ensemble 125 ml de beurre, la cassonade et le sucre, jusqu'à consistance crémeuse. Incorpore l'œuf. Ajoute la farine et le bicarbonate de soude. Mélange bien.

3 Aplatis la pâte sur la plaque à pâtisserie en formant un cercle d'environ 30 cm de diamètre. Fais cuire 15 minutes, jusqu'à ce que la pâte soit dorée. Dépose la plaque sur la grille et laisse refroidir complètement.

4 Pour la garniture, bats ensemble le sucre à glacer, le beurre, le lait et la vanille dans le bol de taille moyenne, jusqu'à consistance crémeuse. Étale ce mélange sur le cercle en biscuit, puis parsème-le de pacanes, de bonbons et de noix de coco. Avec l'aide d'un adulte, fais fondre les brisures de chocolat (voir page 5), puis verse le chocolat en filet sur le tout.

Le biscuit non décoré se conserve à la température de la pièce durant une semaine ou au congélateur pendant deux mois.

Donne 12 à 16 pointes de « pizza »

AUTRE SUGGESTION

★ Fais un biscuit en forme de ballon de football, d'étoile ou de chien (ou toute autre forme qui plaira à ton ami).

Biscuits triple chocolat

De quoi combler les amateurs de chocolat!

INGRÉDIENTS

250 ml de margarine
(à la température de la pièce)

175 ml de cassonade (légèrement tassée)

125 ml de sucre blanc

2 œufs

5 ml d'extrait de vanille

400 ml de farine tout usage

75 ml de poudre de cacao non sucrée

5 ml de bicarbonate de soude

2 ml de sel

250 ml de brisures de chocolat blanc

250 ml de brisures de chocolat

250 ml de pacanes hachées

un grand bol à mélanger, une cuillère de bois,
un tamis, une cuillère à thé, une plaque à
pâtisserie recouverte de papier d'aluminium,
une spatule, une grille à pâtisserie

1 Préchauffe le four à 190 °C.

2 Bats ensemble la margarine, la cassonade et le sucre blanc, jusqu'à consistance crémeuse. Incorpore les œufs et la vanille. Tamise la farine, le cacao, le bicarbonate de soude et le sel sur le mélange. Remue bien. Ajoute le reste des ingrédients.

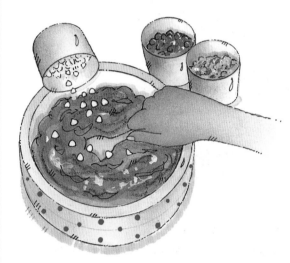

3 Dépose des cuillerées du mélange sur la plaque à pâtisserie, en laissant environ 5 cm entre chacune.

4 Fais cuire de 8 à 10 minutes, jusqu'à ce que les biscuits soient fermes. Laisse-les refroidir 1 minute, puis dépose-les sur la grille pour qu'ils refroidissent complètement.

Donne environ 4 douzaines de biscuits

AUTRE SUGGESTION

★ Remplace les pacanes par des brisures au caramel écossais ou des brisures de chocolat au lait.

Carrés chanceux

Comme sept est un chiffre chanceux, offre ces carrés aux sept ingrédients à un ami pour lui souhaiter bonne chance.

INGRÉDIENTS

125 ml de beurre fondu
(voir page 5)

250 ml de biscuits Graham émiettés

250 ml de noix de coco sucrée
(râpée ou en flocons)

250 ml de brisures au caramel écossais

250 ml de brisures de chocolat

1 boîte de 300 ml de lait concentré sucré

250 ml de pacanes hachées

un moule à gâteau de 23 cm sur 33 cm
recouvert de papier d'aluminium,
une fourchette, une grille à pâtisserie

1 Préchauffe le four à 180 °C.

2 Verse le beurre fondu dans le moule. Saupoudre les miettes de biscuits Graham sur le beurre, puis écrase bien avec la fourchette.

3 Parsème ensuite de noix de coco, puis de brisures au caramel, et enfin de brisures de chocolat. Verse le lait concentré sur le tout. Parsème de pacanes et égalise en appuyant fermement avec la fourchette.

4 Fais cuire 30 minutes, jusqu'à ce que les bords soient dorés. Dépose le moule sur la grille et laisse refroidir complètement.

Donne environ 6 douzaines de carrés

AUTRES SUGGESTIONS

★ Remplace les miettes de biscuits Graham par des miettes de gaufrettes au chocolat.

★ Remplace les brisures au caramel écossais par des fruits confits ou des brisures de chocolat blanc.

Dinos à l'avoine

*Les amateurs de dinosaures
en voudront encore et encore!*

INGRÉDIENTS

250 ml de shortening
(à la température de la pièce)
250 ml de cassonade (légèrement tassée)
250 ml de sucre blanc
2 œufs
10 ml d'extrait de vanille
375 ml de farine tout usage
5 ml de bicarbonate de soude
2 ml de sel
750 ml de flocons d'avoine à cuisson rapide
(pas instantanés)
des bonbons pour décorer
un grand bol à mélanger, une cuillère de bois,
du papier ciré, un rouleau à pâtisserie,
un emporte-pièce en forme de dinosaure,
une spatule, une plaque à pâtisserie
recouverte de papier d'aluminium,
une grille à pâtisserie

1 Préchauffe le four à 180 °C.

2 Bats ensemble le shortening, la cassonade et le sucre blanc, jusqu'à consistance crémeuse. Incorpore les œufs et la vanille. Ajoute la farine, le bicarbonate de soude et le sel. Mélange bien. Incorpore les flocons d'avoine.

3 En suivant les instructions de la page 5, étends une partie de la pâte au rouleau, jusqu'à ce qu'elle ait 1 cm d'épaisseur (tu peux aussi l'aplatir avec tes mains). Découpe les biscuits avec l'emporte-pièce. À l'aide de la spatule, dépose les biscuits sur la plaque à pâtisserie, en laissant environ 5 cm entre chacun. Recommence avec la pâte qui reste. Décore avec les bonbons.

4 Fais cuire de 10 à 12 minutes, jusqu'à ce que les biscuits soient dorés. Laisse refroidir les biscuits 3 minutes, puis dépose-les sur la grille pour qu'ils refroidissent complètement.

Donne environ 5 douzaines de biscuits

AUTRES SUGGESTIONS

★ Ajoute à la pâte 250 ml de brisures de chocolat, de raisins secs ou de jujubes, ou encore 250 ml de noix de coco et de morceaux d'ananas séché.

★ Étends la pâte au rouleau ou aplatis-la avec tes mains. Découpe-la en rectangles. Décore-les pour en faire des cartes de souhaits, des cartons de table ou des étiquettes-cadeaux.

★ Donne à la pâte la forme de ton choix (le visage d'un copain, une pomme pour ton enseignant, un gâteau d'anniversaire) et fais-la cuire. Décore ensuite le biscuit en y « collant » des bonbons avec du chocolat fondu (voir page 5).

EMBALLAGE

★ Fabrique un sac pour ton dinosaure. Coupe d'abord un morceau de papier ciré mesurant un peu plus du double de la taille de ton biscuit.

Plie ensuite le papier en deux et colle deux bords ensemble.

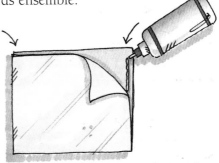

Lorsque la colle est sèche, décore le sac avec des autocollants. Mets ton biscuit dans le sac et ferme celui-ci avec des trombones de couleur ou deux aimants de fantaisie.

Boules chocolatées

*Des gâteries sans cuisson, faciles
à préparer pour la fête des Mères!*

INGRÉDIENTS

175 ml de sucre blanc

125 ml de beurre
(à la température de la pièce)

25 ml de lait

10 ml d'extrait de vanille

500 ml de flocons d'avoine à cuisson rapide
(pas instantanés)

50 ml de poudre de cacao non sucrée

50 ml de pacanes hachées

50 ml de noix de coco sucrée
(râpée ou en flocons)

un grand bol à mélanger, une cuillère de bois,
un tamis, deux petites assiettes

1 Bats ensemble le sucre et le beurre, jusqu'à consistance crémeuse. Incorpore le lait et la vanille. Ajoute les flocons d'avoine, puis tamise le cacao sur le mélange. Remue bien.

2 Forme des boules de 2,5 cm de diamètre avec la pâte.

3 Mets les pacanes et la noix de coco dans des assiettes. Roule la moitié des boules dans les pacanes et l'autre moitié dans la noix de coco.

Se conservent au réfrigérateur pendant une semaine et au congélateur pendant deux mois.

Donne environ 2 douzaines et demie de boules

AUTRES SUGGESTIONS

★ Tu peux aussi préparer ces boules chocolatées pour la fête des Pères. Si ton père n'aime pas les pacanes, remplace-les par les noix qu'il préfère.

★ Ajoute 125 ml de raisins secs, de canneberges séchées, ou encore des fruits séchés favoris de tes parents.

Carrés au chocolat

*Prépare-les pour un ami qui habite loin.
Enveloppe-les de pellicule plastique et place-les
dans une boîte solide avant de les poster.*

INGRÉDIENTS

175 ml de beurre fondu
(voir page 5)

4 carrés de chocolat non sucré fondu
(voir page 5)

375 ml de sucre blanc

3 œufs

5 ml d'extrait de vanille

175 ml de farine tout usage

1 ml de sel

175 ml de noix hachées

125 ml de brisures de chocolat

un petit bol à mélanger, une cuillère de bois,
un grand bol à mélanger,
un moule à gâteau carré de 20 cm de côté
recouvert de papier d'aluminium,
une grille à pâtisserie

1 Préchauffe le four à 180 °C.

2 Mélange le beurre et le chocolat dans le petit bol. Mets le mélange au réfrigérateur 15 minutes, jusqu'à ce qu'il atteigne la température de la pièce.

3 Mélange le sucre et les œufs dans le grand bol, jusqu'à l'obtention d'une couleur jaune pâle. Incorpore la vanille. Ajoute la préparation au chocolat et remue bien, jusqu'à ce que le mélange soit homogène. Incorpore la farine et le sel. Ajoute les noix et les brisures de chocolat. Mélange bien.

4 Verse la pâte dans le moule. Fais cuire de 40 à 45 minutes, jusqu'à ce que les côtés se détachent des parois, mais que le centre soit encore mou. Dépose le moule sur la grille et laisse refroidir complètement.

Donne environ 2 douzaines de carrés

AUTRES SUGGESTIONS

★ Lorsque les carrés au chocolat sont encore chauds, dispose 25 friandises Kisses de Hershey dessus (cinq rangées de cinq).

★ Coupe les carrés et saupoudre du sucre à glacer sur la moitié de chacun.

Virevents

Parfaits pour une journée de printemps venteuse. Ils s'envoleront en un temps record!

INGRÉDIENTS

250 ml de sucre blanc

50 ml de beurre (à la température de la pièce)

50 ml de shortening
(à la température de la pièce)

1 œuf

5 ml d'extrait de vanille

500 ml de farine tout usage

5 ml de poudre à pâte

125 ml de paillettes ou granules de sucre
multicolores, ou de noix hachées

un grand bol à mélanger, une cuillère de bois,
de la pellicule plastique, du papier ciré,
un rouleau à pâtisserie, un couteau de table,
une spatule, une plaque à pâtisserie
recouverte de papier d'aluminium,
une grille à pâtisserie

1 Bats ensemble le sucre blanc, le beurre et le shortening, jusqu'à consistance crémeuse. Incorpore l'œuf et la vanille. Ajoute la farine et la poudre à pâte. Mélange bien. Enveloppe la pâte de pellicule plastique et mets-la au réfrigérateur pendant une heure (jusqu'à ce qu'elle soit ferme).

2 Préchauffe le four à 190 °C.

3 En suivant les instructions de la page 5, étends une partie de la pâte au rouleau, jusqu'à ce qu'elle ait 0,3 cm d'épaisseur. Découpe la pâte en carrés de 7,5 cm. À l'aide de la spatule, dépose les carrés sur la plaque à pâtisserie, en laissant environ 4 cm entre chacun. Saupoudre-les de granules, de paillettes ou de noix. Recommence avec la pâte qui reste.

4 À l'aide d'un couteau, coupe la pâte, de chaque coin des carrés presque jusqu'à leur centre, comme ci-dessous. Replie quatre des pointes sur le centre, en appuyant doucement.

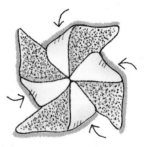

5 Fais cuire de 6 à 8 minutes, jusqu'à ce que les biscuits soient dorés. Laisse refroidir les biscuits 3 minutes, puis dépose-les sur la grille pour qu'ils refroidissent complètement.

Donne environ 2 douzaines de biscuits

Boules de boue

Avec le printemps arrivent les beaux jours, les fleurs, les arcs-en-ciel… et la boue. Qui aurait pensé qu'elle pouvait avoir si bon goût?

INGRÉDIENTS

500 ml de brisures de chocolat
50 ml de beurre
1 boîte de 300 ml de lait concentré sucré
375 ml de farine tout usage
une casserole de taille moyenne,
une cuillère de bois,
une plaque à pâtisserie recouverte
de papier d'aluminium,
une spatule, une grille à pâtisserie

1 Préchauffe le four à 180 °C.

2 Avec l'aide d'un adulte, mets les brisures de chocolat et le beurre dans la casserole, et fais-les fondre à feu doux, en remuant sans arrêt pendant 5 minutes (jusqu'à consistance lisse). Retire la casserole du feu.

3 Ajoute le lait concentré et la farine. Mélange bien.

4 Forme des boules de 2,5 cm de diamètre avec la pâte. Place les boules sur la plaque à pâtisserie, en laissant environ 4 cm entre chacune.

5 Fais cuire de 6 à 8 minutes, jusqu'à ce que les boules soient à peine fermes. Laisse-les refroidir 3 minutes, puis dépose-les sur la grille pour qu'elles refroidissent complètement.

Donne environ 4 douzaines de boules

EMBALLAGE

★ Tapisse l'intérieur d'un pot à fleur avec un morceau de cellophane. Fabrique une fleur de papier ou de feutre, et colle-la à un cure-pipe, ou encore à un bâton ou une branche propre. Laisse sécher. Place la fleur dans le pot et entoure-la de boules. Rassemble la cellophane autour de la tige et attache-la avec une boucle.

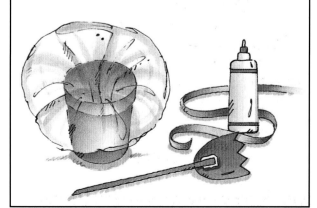

Mini melons

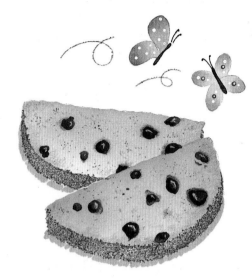

En été, quoi de meilleur qu'une tranche de melon d'eau sucré?

INGRÉDIENTS

175 ml de beurre
(à la température de la pièce)
125 ml de sucre blanc
1 sachet de poudre de gélatine au melon d'eau
1 œuf
du colorant alimentaire rouge
425 ml de farine tout usage
2 ml de poudre à pâte
75 ml de brisures de chocolat miniatures
45 ml de sucre vert
un grand bol à mélanger, une cuillère de bois,
du papier ciré, une grande assiette,
un couteau de table, une plaque à pâtisserie
recouverte de papier d'aluminium,
une spatule, une grille à pâtisserie

1 Mets le beurre, le sucre blanc et la poudre de gélatine dans le bol, et travaille-les en crème, jusqu'à consistance mousseuse. Incorpore l'œuf en battant, jusqu'à ce que le mélange soit lisse. Ajoute environ 8 gouttes de colorant alimentaire, puis la farine et la poudre à pâte. Remue bien. Ajoute les brisures de chocolat.

2 Divise la pâte en deux et donne à chaque moitié une forme cylindrique de 12,5 cm de longueur. Enveloppe chaque cylindre de papier ciré, puis mets les cylindres au réfrigérateur pendant 2 heures.

3 Préchauffe le four à 180 °C.

4 Mets le sucre vert dans l'assiette, puis roule chaque cylindre dans le sucre. Coupe la pâte en tranches de 0,5 cm d'épaisseur, puis coupe chaque tranche en deux. Dispose ces demi-cercles sur la plaque à pâtisserie, en laissant environ 4 cm entre chacun.

5 Fais cuire de 8 à 10 minutes, jusqu'à ce que les biscuits soient à peine fermes. Laisse-les refroidir 3 minutes, puis dépose-les sur la grille pour qu'ils refroidissent complètement.

Donne environ 8 douzaines de biscuits

Barres à la noix de coco

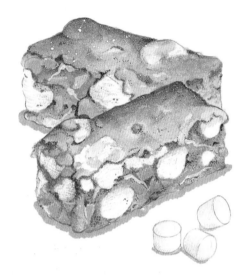

*Cette collation estivale se prépare sans cuisson
et se mange sans façon!*

INGRÉDIENTS

250 ml de sucre blanc

2 œufs (battus)

175 ml de beurre

10 ml d'extrait de vanille

625 ml de guimauves miniatures

300 ml de biscuits Graham émiettés

250 ml de noix de coco sucrée
(râpée ou en flocons)

250 ml de noix hachées

une casserole de taille moyenne, une cuillère
de bois, un moule à gâteau carré de 20 cm
de côté recouvert de papier d'aluminium

1 Mélange le sucre et les œufs dans la
casserole. Ajoute le beurre. Avec l'aide
d'un adulte, réchauffe le mélange à feu
moyen, en remuant sans arrêt pendant
5 minutes, jusqu'à ce qu'il épaississe.
Incorpore la vanille. Place au réfrigérateur
pendant environ 30 minutes.

2 Remue de temps en temps, jusqu'à
ce que la préparation soit à la
température de la pièce.

3 Ajoute les guimauves, les miettes de
biscuits Graham, la noix de coco et les
noix. Mélange bien.

4 Étale le mélange sur la plaque en
appuyant pour l'égaliser. Mets au
réfrigérateur pendant environ 20 minutes,
jusqu'à consistance ferme.

Se conservent au réfrigérateur pendant
deux semaines.

*Donne environ 2 douzaines et demie
de barres*

AUTRES SUGGESTIONS

★ Verse du chocolat fondu (voir page 5) en
filet sur les barres refroidies.

★ Remplace les miettes de biscuits Graham
par des miettes de gaufrettes au chocolat,
ou remplace la noix de coco par des
brisures de chocolat.

Biscuits aux brisures de chocolat

*Tout indiqués pour accompagner
une tasse de chocolat chaud
par une froide journée d'hiver.*

INGRÉDIENTS

250 ml de beurre
(à la température de la pièce)

175 ml de sucre blanc

175 ml de cassonade
(légèrement tassée)

2 œufs

10 ml d'extrait de vanille

550 ml de farine tout usage

5 ml de bicarbonate de soude

2 ml de sel

375 ml de brisures de chocolat

un grand bol à mélanger, une cuillère de bois,
une cuillère à thé, une plaque à pâtisserie
recouverte de papier d'aluminium, une spatule,
une grille à pâtisserie

1 Préchauffe le four à 180 °C.

2 Bats ensemble le beurre, le sucre
et la cassonade, jusqu'à consistance
crémeuse. Incorpore les œufs et la vanille.
Ajoute la farine, le bicarbonate de soude
et le sel. Mélange bien. Ajoute les brisures
de chocolat.

3 Dépose des cuillerées du mélange
sur la plaque à pâtisserie en laissant
environ 4 cm entre chacune.

4 Fais cuire de 8 à 10 minutes, jusqu'à
ce que les biscuits soient dorés. Laisse
refroidir les biscuits 3 minutes, puis dépose-
les sur la grille pour qu'ils refroidissent
complètement.

Donne environ 5 douzaines de biscuits

AUTRES SUGGESTIONS

★ Remplace les brisures de chocolat par
des miettes de biscuits fourrés au chocolat
(environ 20 biscuits).

★ Trempe les biscuits refroidis dans du
chocolat blanc ou noir fondu (voir page 5),
de façon à enrober la moitié de chaque
biscuit.

Étoiles brillantes

*Aussi scintillantes que des étoiles hivernales,
mais bien plus succulentes!*

INGRÉDIENTS

250 ml de beurre (à la température de la pièce)

250 ml de sucre à glacer

1 œuf

10 ml d'extrait de vanille

625 ml de farine tout usage

2 ml de bicarbonate de soude

1 ml de sel

125 ml de confiture ou de gelée

un grand bol à mélanger, une cuillère de bois,
du papier ciré, un rouleau à pâtisserie,
deux emporte-pièces en forme d'étoile
(un petit et un moyen), une spatule, une plaque
à pâtisserie recouverte de papier d'aluminium,
une grille à pâtisserie, un couteau de table

1 Préchauffe le four à 180 °C.

2 Bats ensemble le beurre et le sucre à glacer, jusqu'à consistance mousseuse. Incorpore l'œuf et la vanille. Ajoute la farine, le bicarbonate de soude et le sel. Mélange bien.

3 En suivant les instructions de la page 5, étends une partie de la pâte au rouleau, jusqu'à ce qu'elle ait 0,3 cm d'épaisseur. Découpe des biscuits avec le plus grand emporte-pièce. Taille des étoiles au centre de la moitié des biscuits avec le petit emporte-pièce. À l'aide de la spatule, dépose les biscuits sur la plaque à pâtisserie, en laissant environ 4 cm entre chacun. Recommence avec la pâte qui reste.

4 Fais cuire de 10 à 12 minutes, jusqu'à ce que les biscuits soient dorés. Laisse-les refroidir 3 minutes, puis dépose-les sur la grille pour qu'ils refroidissent complètement.

5 Étale de la confiture ou de la gelée sur les biscuits entiers, puis couvre-les avec les biscuits découpés.

Se conservent une semaine à la température de la pièce ou deux mois au congélateur (sans confiture).

Donne environ 2 douzaines de biscuits

Croustilles sucrées

*Si tu as envie d'un biscuit sucré et salé
en même temps, essaie ces biscuits croustillants.*

INGRÉDIENTS

250 ml de sucre blanc

125 ml de beurre
(à la température de la pièce)

125 ml de shortening
(à la température de la pièce)

2 œufs

10 ml d'extrait de vanille

625 ml de farine tout usage

2 ml de sel

375 ml de croustilles
à assaisonnement barbecue écrasées

125 ml de pacanes hachées

un grand bol à mélanger, une cuillère de bois,
une cuillère à thé, une plaque à pâtisserie
recouverte de papier d'aluminium,
une spatule, une grille à pâtisserie

1 Préchauffe le four à 180 °C.

2 Bats ensemble le sucre, le beurre
et le shortening, jusqu'à consistance
crémeuse. Incorpore les œufs et la vanille.
Ajoute la farine et le sel. Mélange bien.
Ajoute les croustilles et les pacanes.

3 Dépose des cuillerées du mélange
sur la plaque à pâtisserie en laissant
environ 4 cm entre chacune.

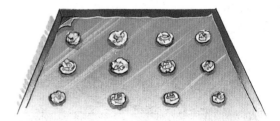

4 Fais cuire de 10 à 12 minutes, jusqu'à
ce que les biscuits soient dorés. Laisse
refroidir les biscuits 3 minutes, puis dépose-
les sur la grille pour qu'ils refroidissent
complètement.

Donne environ 4 douzaines de biscuits

AUTRES SUGGESTIONS

★ Utilise des croustilles avec un
assaisonnement différent.

★ Ajoute 125 ml de brisures de chocolat
à la pâte, ou décore les biscuits refroidis
avec un filet de chocolat fondu
(voir page 5).

Marguerites en folie

*Offre à ton enseignant un bouquet
de ces irrésistibles marguerites… comestibles!*

INGRÉDIENTS

250 ml de sucre blanc

175 ml de beurre
(à la température de la pièce)

1 œuf

10 ml d'extrait de vanille

550 ml de farine tout usage

du sucre de différentes couleurs

un grand bol à mélanger, une cuillère de bois,
une petite assiette, une plaque à pâtisserie
recouverte de papier d'aluminium,
un couteau de table, une spatule,
une grille à pâtisserie

1 Préchauffe le four à 190 °C.

2 Bats ensemble le sucre blanc et le beurre, jusqu'à consistance crémeuse. Incorpore l'œuf et la vanille. Ajoute la farine et mélange bien.

3 Forme des boules de 3 cm de diamètre avec la pâte. Mets du sucre coloré dans l'assiette et roules-y les boules. Dépose-les sur la plaque à pâtisserie en laissant environ 4 cm entre chacune.

4 Pratique trois entailles dans chaque boule, en enfonçant le couteau un peu plus loin que son centre, comme ci-dessous. Écarte légèrement les quartiers pour former les pétales. Saupoudre le centre des biscuits avec du sucre de différentes couleurs.

 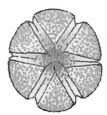

5 Fais cuire de 10 à 12 minutes, jusqu'à ce que les biscuits soient dorés. Laisse-les refroidir 3 minutes, puis dépose-les sur la grille pour qu'ils refroidissent complètement.

Donne environ 3 douzaines de biscuits

EMBALLAGE

★ Décore une boîte. Mélange d'abord des quantités égales de colle blanche et d'eau, puis trempes-y de petites retailles de papier d'emballage. Colle-les ensuite sur la boîte en les lissant bien. Une fois que c'est sec, applique deux couches de vernis acrylique (en laissant sécher entre chaque couche).

Baguettes magiques

*Exauce le souhait de tes amis
en leur offrant ces merveilleux biscuits!*

INGRÉDIENTS

250 ml de sucre blanc

125 ml de shortening
(à la température de la pièce)

1 œuf

25 ml de lait

5 ml d'extrait de vanille

425 ml de farine tout usage

5 ml de poudre à pâte

2 ml de bicarbonate de soude

2 ml de sel

10 ml de bouchées de chocolat à la menthe
(coupées en deux)

un grand bol à mélanger, une cuillère de bois,
du papier ciré, un rouleau à pâtisserie,
un emporte-pièce en forme d'étoile de taille
moyenne, une spatule, une plaque à pâtisserie
recouverte de papier d'aluminium,
20 bâtons, une grille à pâtisserie

1   Préchauffe le four à 190 °C.

2   Bats ensemble le sucre et le shortening,
jusqu'à consistance mousseuse.
Incorpore l'œuf, le lait et la vanille. Ajoute
la farine, la poudre à pâte, le bicarbonate de
soude et le sel. Mélange bien.

3   En suivant les instructions de la page 5,
étends la moitié de la pâte au rouleau,
jusqu'à ce qu'elle ait 0,3 cm d'épaisseur.
Découpe des étoiles avec l'emporte-pièce. À
l'aide de la spatule, dépose-les sur la plaque
à pâtisserie en laissant environ 5 cm entre
chacune. Place l'extrémité d'un bâton et une
moitié de chocolat à la menthe sur chaque
étoile, comme ci-dessous.

4   Étends le reste de la pâte au rouleau
et découpe des étoiles avec l'emporte-
pièce. À l'aide de la spatule, dépose ces
étoiles sur les premières, en appuyant
doucement sur les bords pour les sceller.

5   Fais cuire de 8 à 10 minutes, jusqu'à
ce que les biscuits soient dorés. Laisse-
les refroidir 3 minutes, puis dépose-les
sur la grille pour qu'ils refroidissent
complètement.

Donne environ 20 biscuits

Tortues au chocolat

Parfaites pour ceux qui sont toujours en retard!

INGRÉDIENTS

2 carrés de chocolat non sucré

75 ml de shortening

2 œufs

250 ml de sucre blanc

175 ml de farine tout usage

2 ml de poudre à pâte

1 ml de sel

250 ml de moitiés de pacanes

500 ml de sucre à glacer

125 ml de poudre de cacao non sucrée
(tamisée)

50 ml de beurre
(à la température de la pièce)

45 ml de lait

un grand bol allant au micro-ondes,
une cuillère de bois, une plaque à pâtisserie
recouverte de papier d'aluminium,
une cuillère à thé, une spatule,
une grille à pâtisserie, un bol à mélanger
de taille moyenne, un couteau de table

1   Préchauffe le four à 190 °C.

2   Mets le chocolat et le shortening dans
le grand bol. Avec l'aide d'un adulte,
fais fondre ces ingrédients au micro-ondes
environ 1½ minute, en remuant toutes les
30 secondes. Incorpore les œufs et le sucre
blanc. Ajoute la farine, la poudre à pâte et
le sel. Mélange bien.

3   Dispose trois moitiés de pacanes sur la
plaque à pâtisserie comme ci-dessous.
Dépose une petite cuillerée de pâte au
milieu des noix. Assemble les autres biscuits
de la même manière, en laissant environ
4 cm entre chacun.

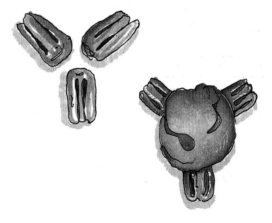

4   Fais cuire de 10 à 12 minutes, jusqu'à
ce que les biscuits soient fermes.
Laisse-les refroidir 3 minutes, puis dépose-
les sur la grille pour qu'ils refroidissent
complètement.

5   Pour le glaçage, bats ensemble le
reste des ingrédients dans l'autre bol,
jusqu'à consistance crémeuse. Étale le
glaçage sur chaque biscuit en dessinant
une spirale.

Donne environ 3 douzaines de biscuits

Bretzels sucrés

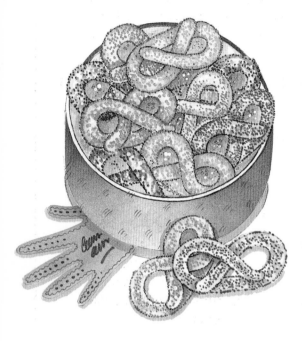

Quel régal que ces bretzels au goût original!

INGRÉDIENTS

125 ml de beurre
(à la température de la pièce)

50 ml de sucre blanc

1 œuf

5 ml d'extrait de vanille

375 ml de farine tout usage

du sucre de différentes couleurs

un grand bol à mélanger, une cuillère de bois,
une cuillère à thé, du papier ciré, une spatule,
une plaque à pâtisserie recouverte de papier
d'aluminium, une grille à pâtisserie

1 Préchauffe le four à 190 °C.

2 Bats ensemble le beurre et le sucre
blanc, jusqu'à consistance crémeuse.
Incorpore l'œuf et la vanille. Ajoute la farine
et mélange bien.

3 Pour chaque biscuit, dépose une
cuillerée de pâte sur du papier ciré
légèrement fariné. Roule la pâte avec ta
paume pour former un cylindre de 25 cm
de long, de l'épaisseur d'un crayon. Tortille
le cylindre en forme de bretzel, comme
ci-dessous. À l'aide de la spatule, dépose
délicatement les bretzels sur la plaque à
pâtisserie, en laissant environ 2,5 cm entre
chacun. Saupoudre-les de sucre coloré.

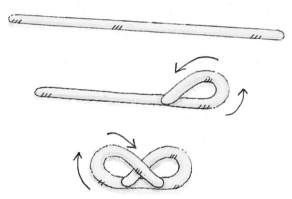

4 Fais cuire de 10 à 12 minutes, jusqu'à
ce que les bretzels soient dorés. Laisse-
les refroidir 3 minutes, puis dépose-les
sur la grille pour qu'ils refroidissent
complètement.

*Donne environ 2 douzaines et demie
de bretzels*

EMBALLAGE

★ Fabrique une étiquette-cadeau en traçant
le contour de ta main sur du papier épais
et en découpant la forme obtenue. Inscris
le nom du destinataire sur l'étiquette et
décore-la.